MAGIC
three dimension trip vision
EYE
매직 아이 II

매직 아이를 바르게 보는 방법

① 그림을 5cm 정도 떨어지게 놓고 맨 위의 검고 둥근 두 점을 눈높이에 맞춰서 직선으로 봅니다.
② 시선을 무리하게 그림에다 맞추지 말고, 멍한 눈으로 바라보세요. 영상이 희미한 상태로 변해 가면 OK!
③ 그 상태에서 그림을 조금씩 멀리하여 검고 둥근 점이 세 개가 되는 위치에서 멈춥니다.
④ 그리고 몇 초 또는 몇 분간 계속 바라봅니다.
⑤ 그러면 어느 순간 그림 속에서 입체 영상이 떠올라 옵니다.
⑥ 입체 영상이 보이면, 더욱더 그림을 떨어뜨려 놓고 보세요. 보다 다이내믹하게 입체 영상이 보일 것입니다.

☆ 이렇게 보는 방법 외에도 눈을 사팔로 떠서 보는 방법이 있지만, 凹凸 이 역전해서 보이거나 전혀 다른 영상이 나타나 3차원 영상의 박진감이 없어져 버립니다.
☆ 익숙해지면 멀찌감치 그림을 떨어뜨려 놓고 시선을 집중시켜도 입체 영상이 보이게 됩니다.

● 이것은 전체 그림의 한 부분입니다. 실제로는 전체 그림 위에 16개의 도형이 떠올라 옵니다.

긴 행렬

앞에서 한 것과 같은 방법으로 보면 평면의 그림이 입체 영상으로 떠오릅니다.

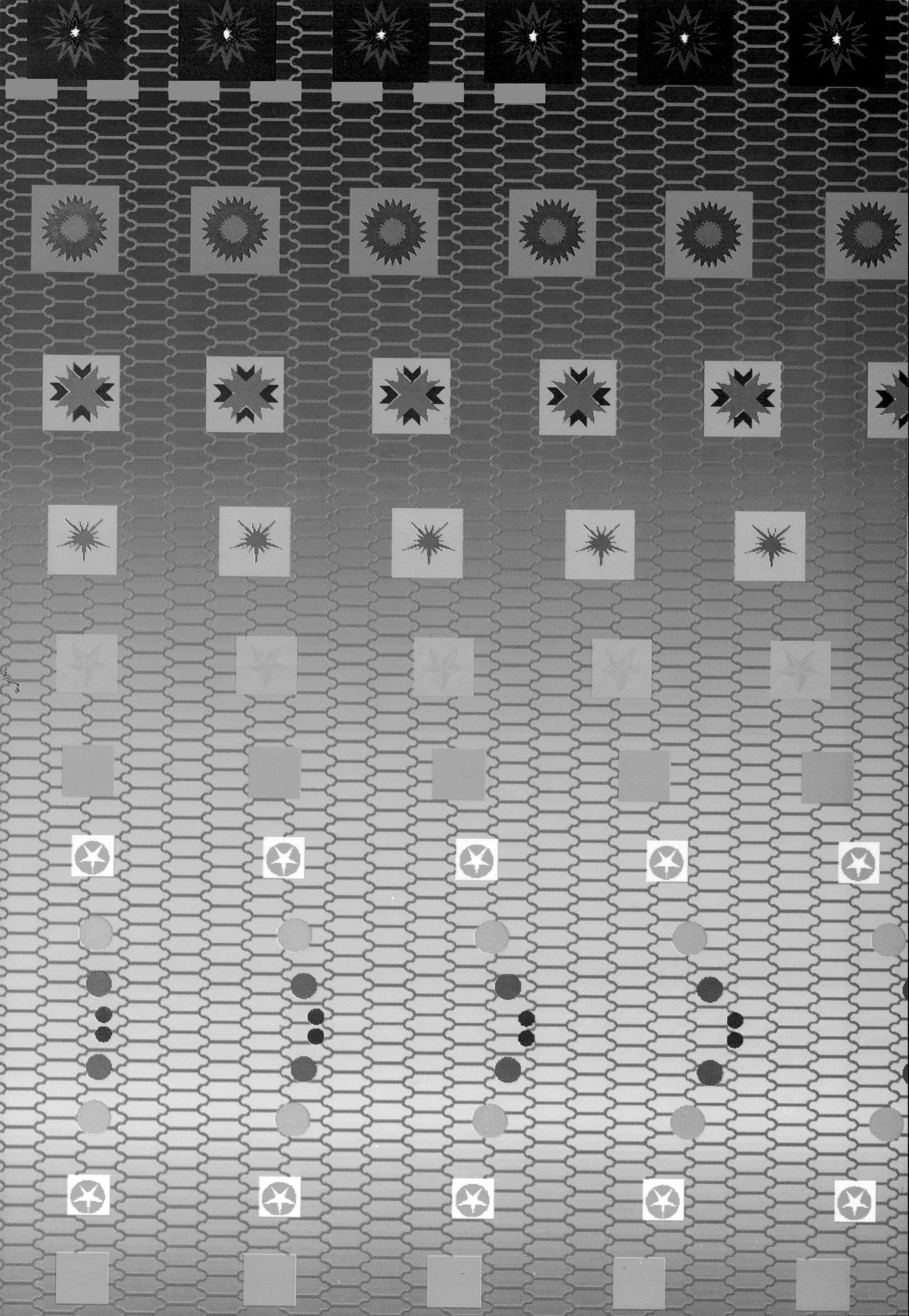

▶ 이 면은 책을 옆으로 해서 보세요.

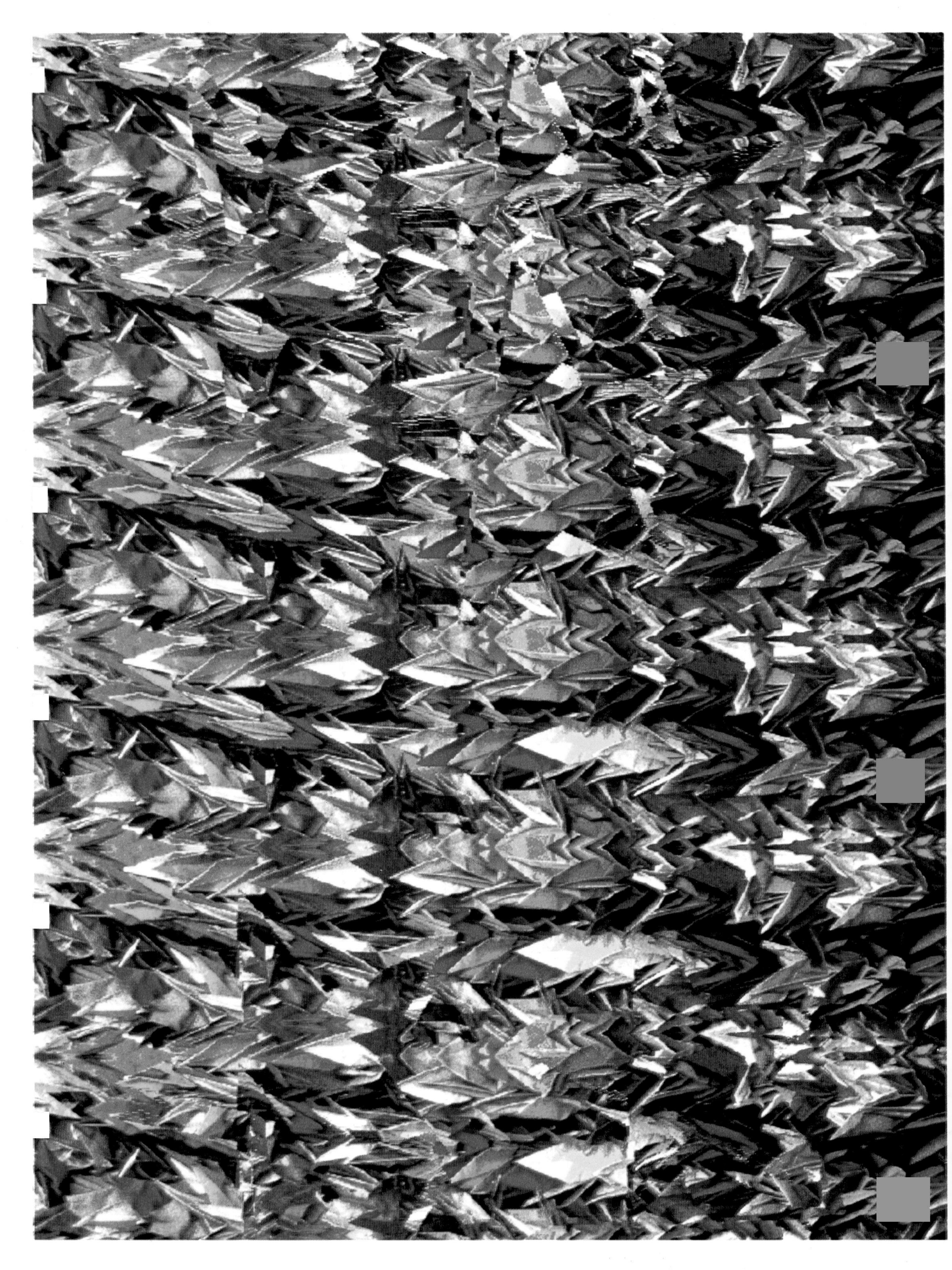

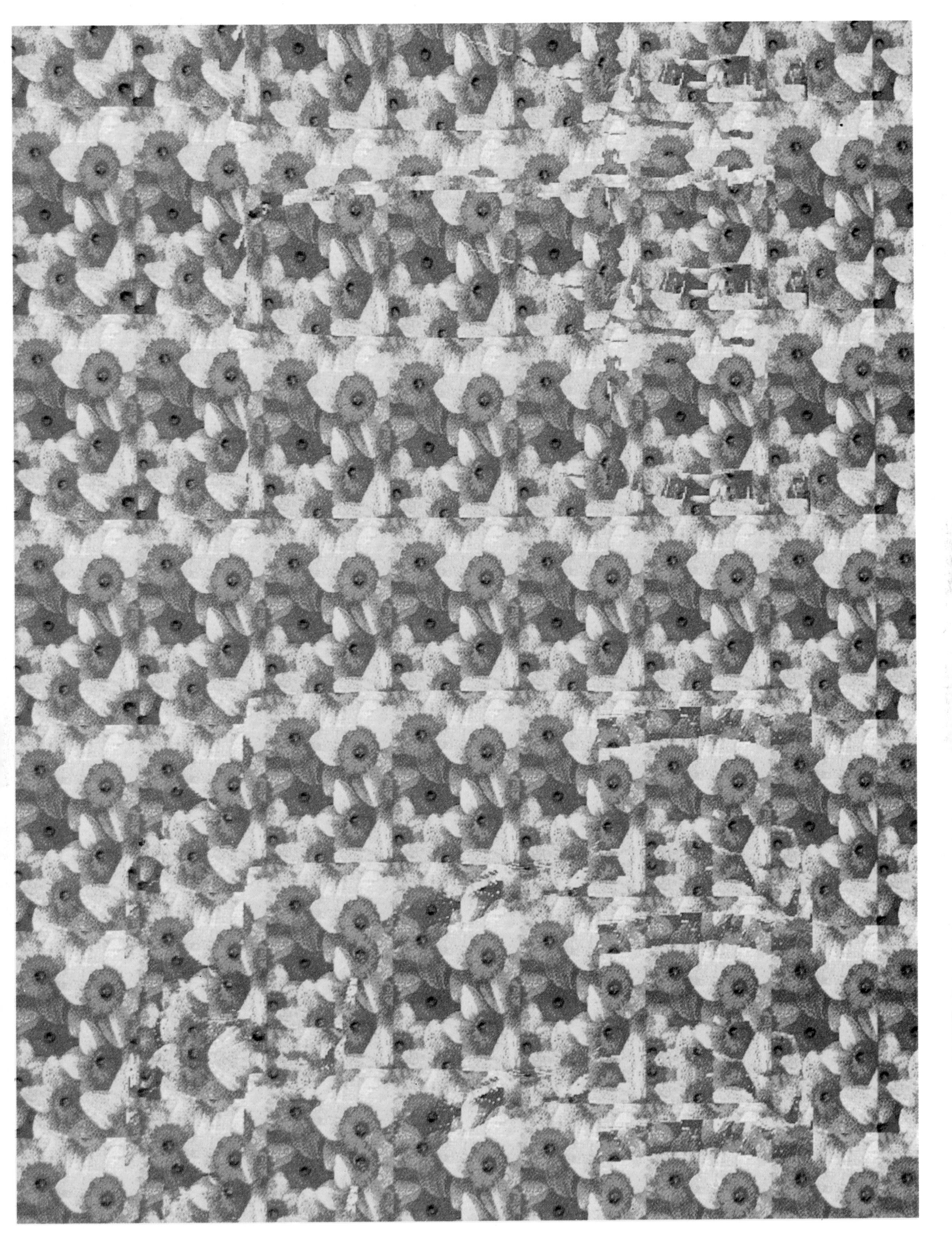

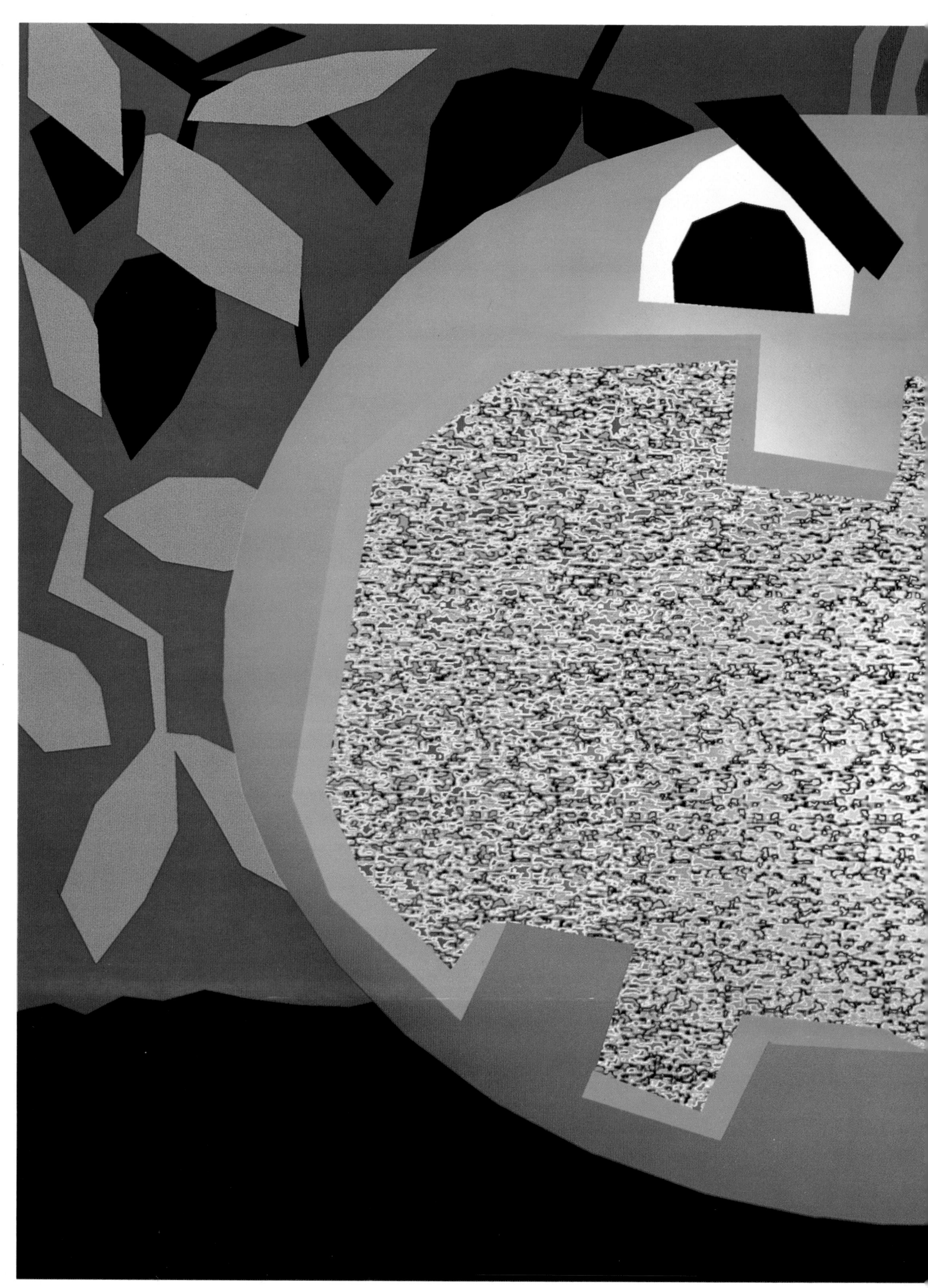

▶ 이 면은 책을 옆으로 해서 보세요.

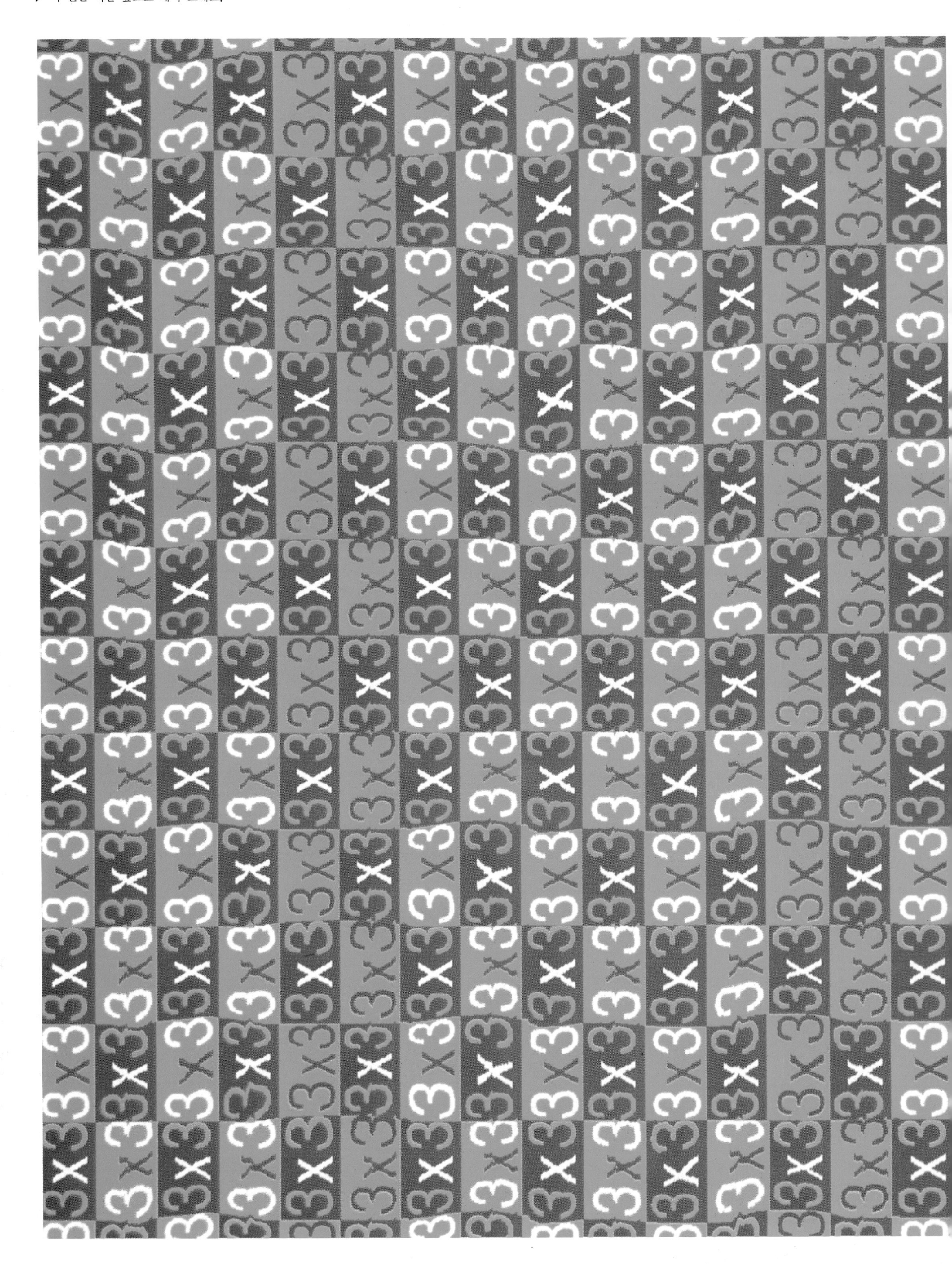

남자 아이와 여자 아이가 뽀뽀하는 그림이 되게 하면서 보세요.

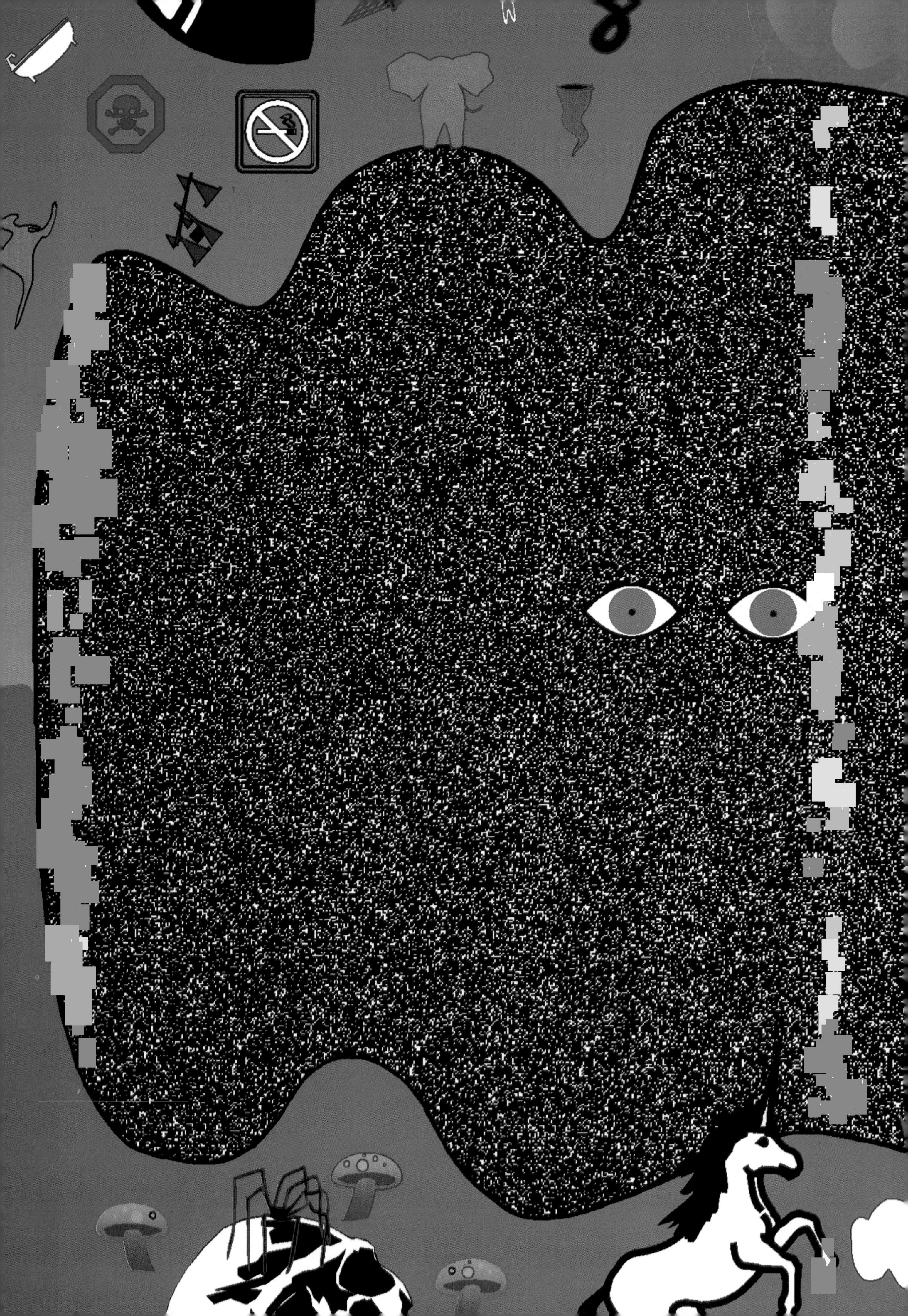

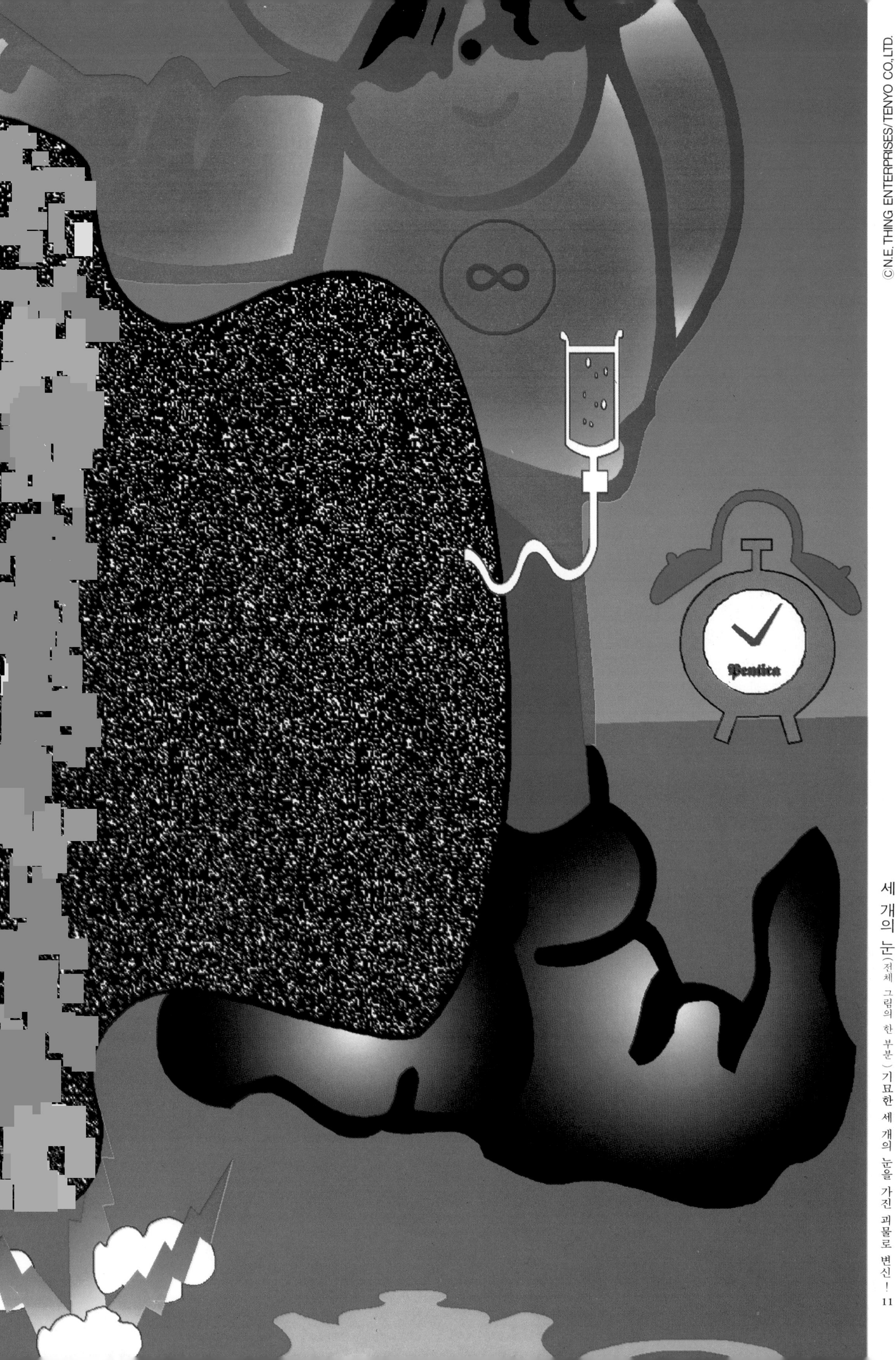

세 개의 눈(전체 그림의 한 부분) 기묘한 세 개의 눈을 가진 괴물로 변신!

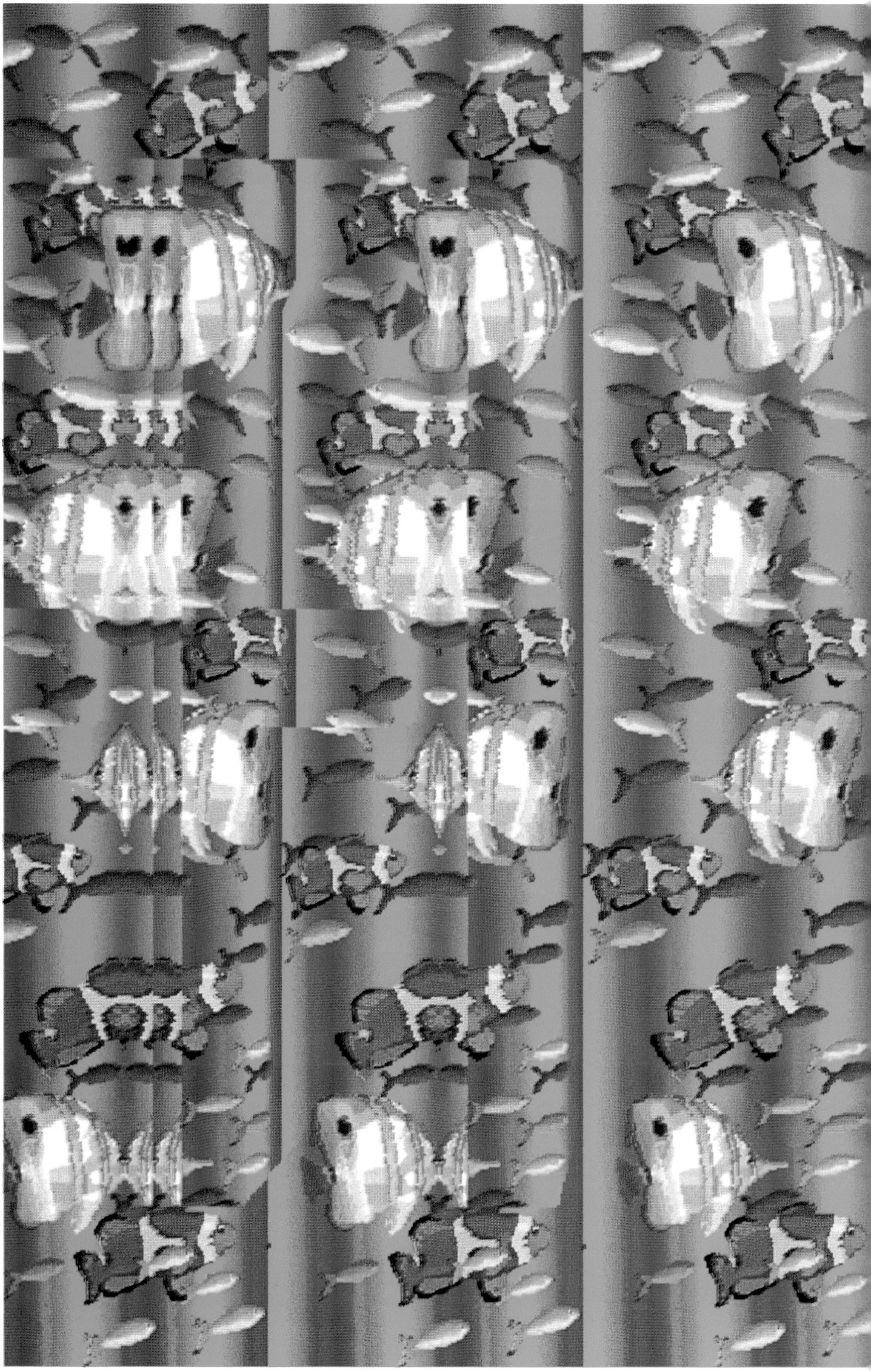

물고기들이 떼를 지어 어떤 문자를 만들었어요.

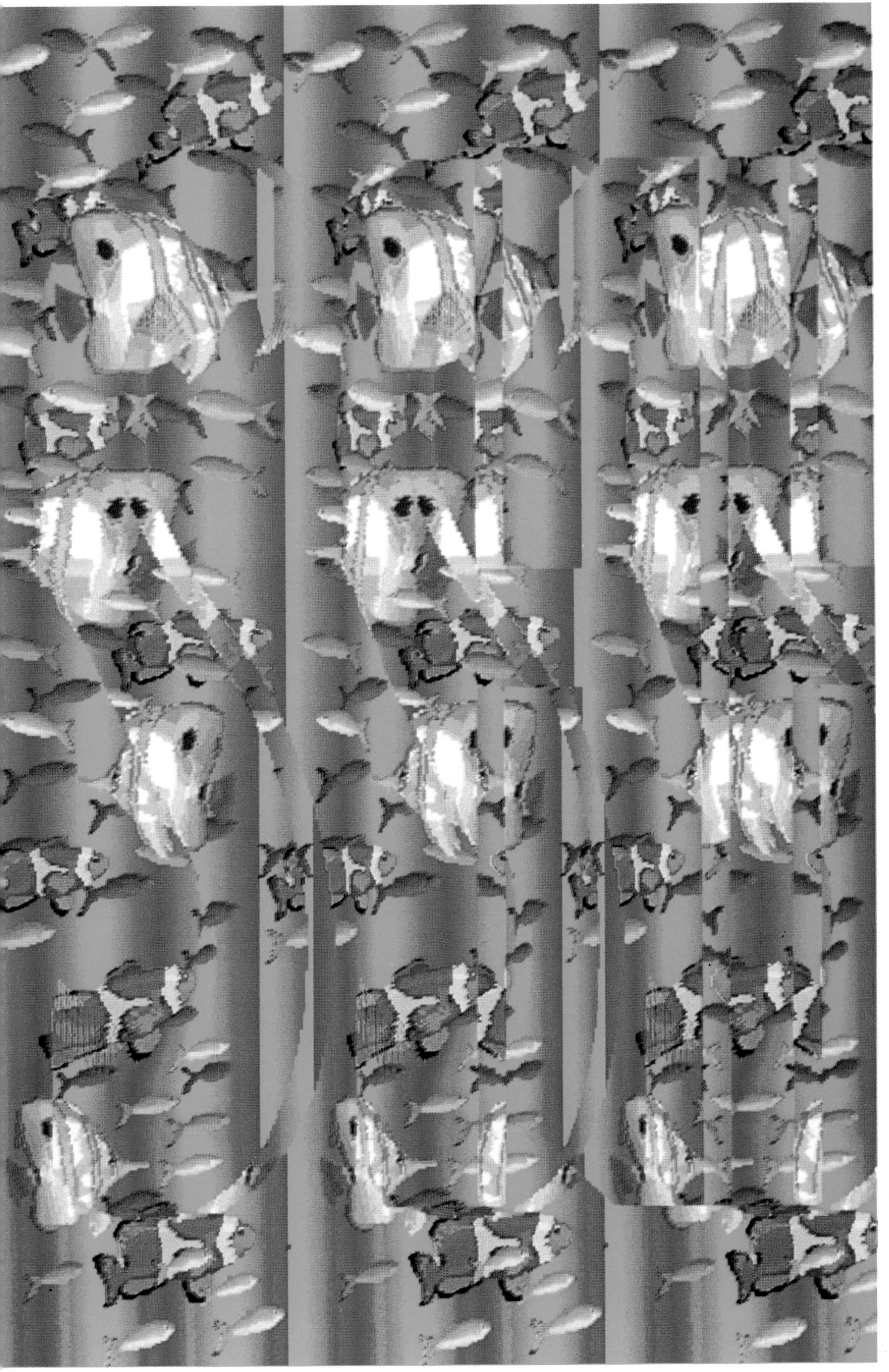

14 두 가지의 입체 영상을 즐길 수 있습니다. 벽지와 텔레비전을 한 번 보세요.

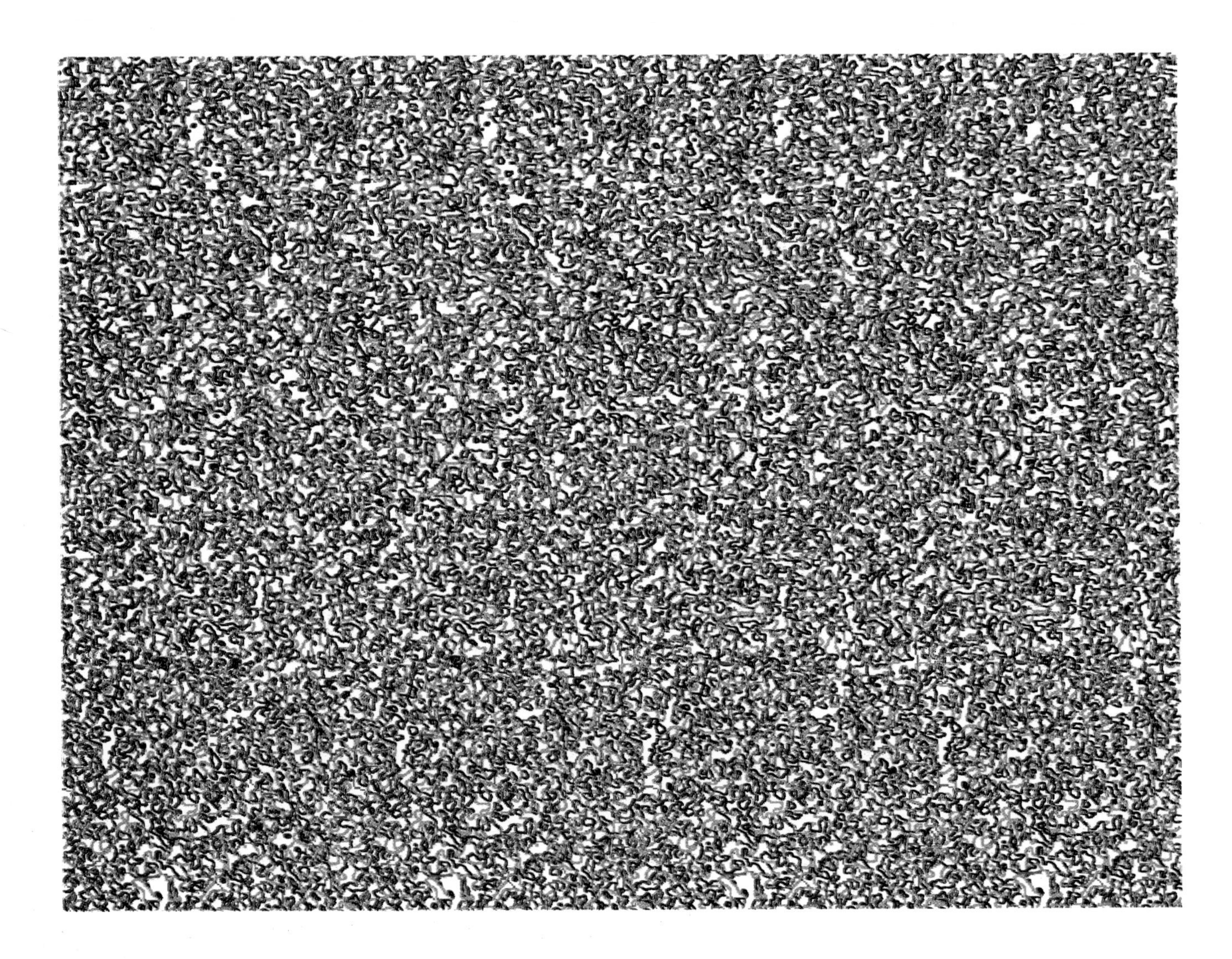

당신은 위, 아래 중 어느 쪽과 관계가 있나요?

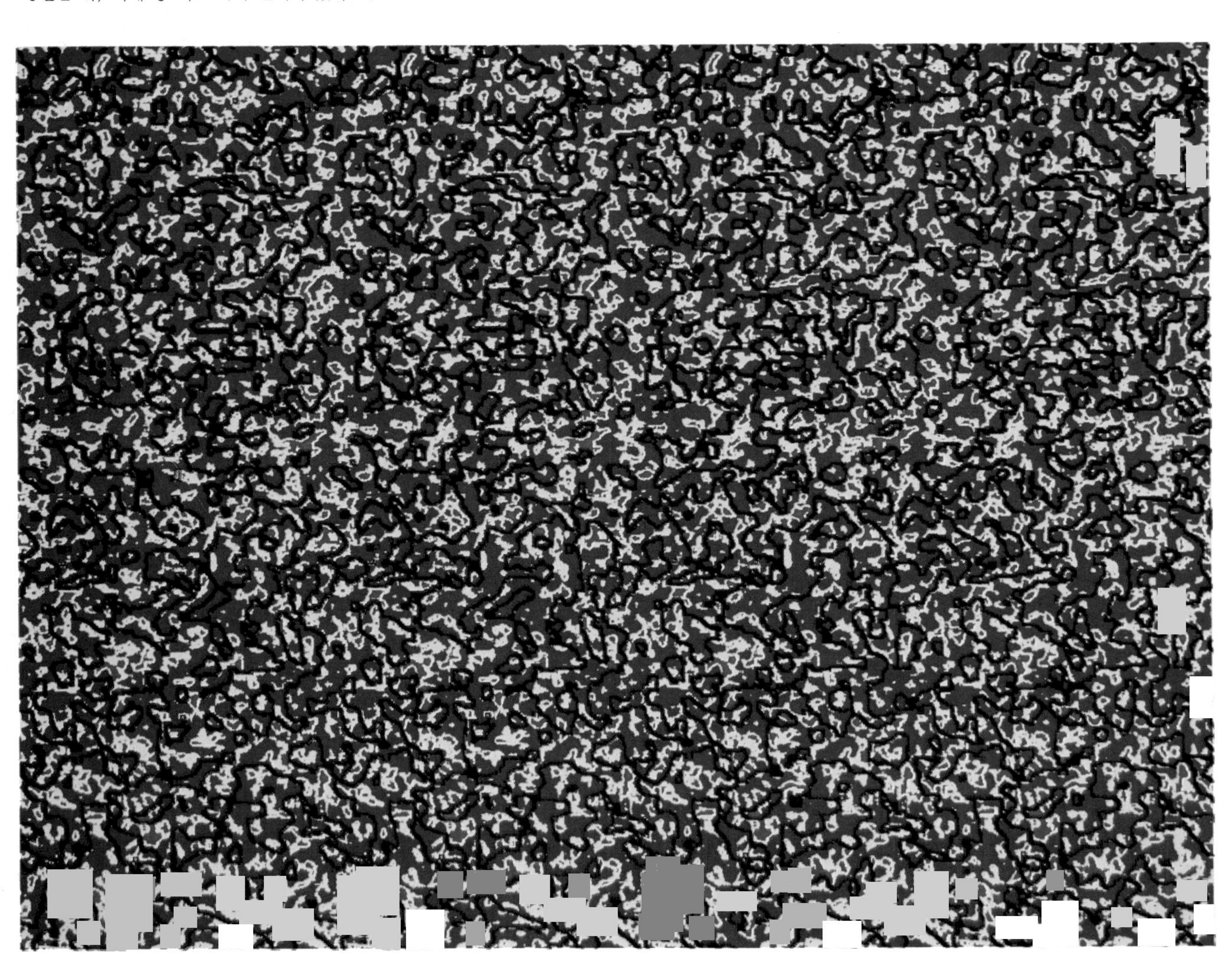

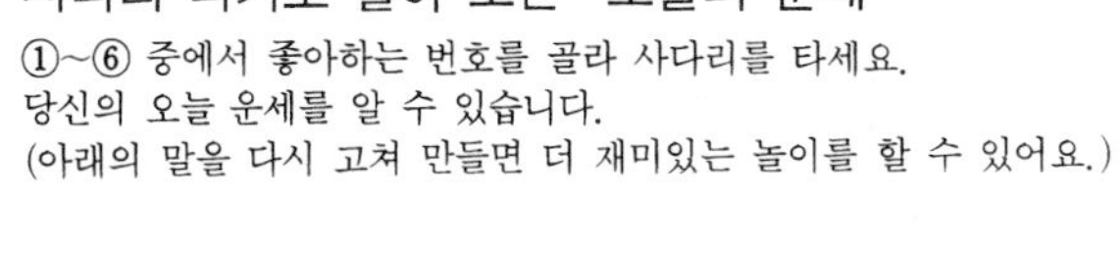

사다리 타기로 알아 보는 "오늘의 운세"

①~⑥ 중에서 좋아하는 번호를 골라 사다리를 타세요.
당신의 오늘 운세를 알 수 있습니다.
(아래의 말을 다시 고쳐 만들면 더 재미있는 놀이를 할 수 있어요.)

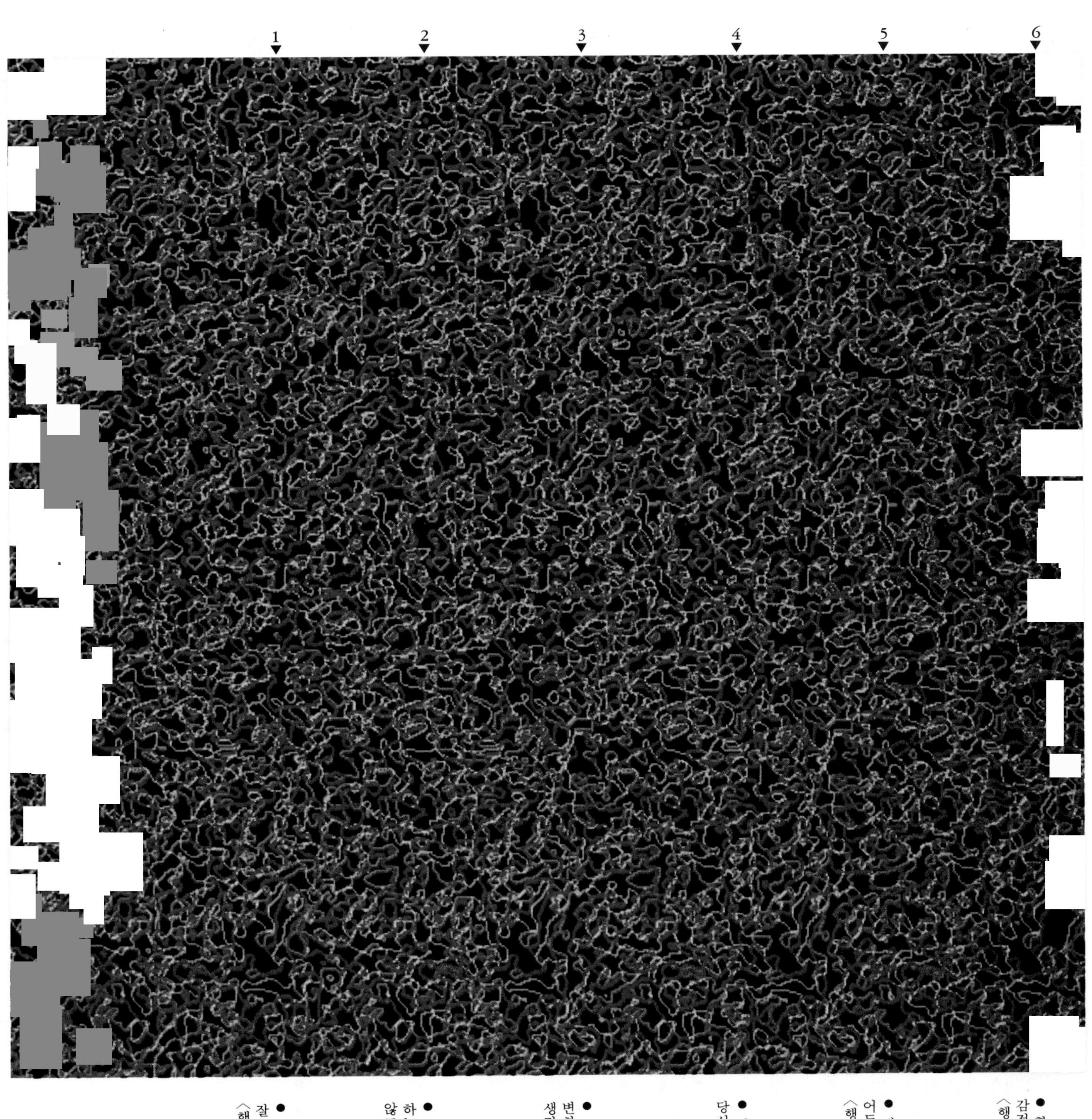

● 여러 가지 것을 체크하는 날. 지성과 이성이 잘 움직이는 날이지만, 너무 논리적일 수도 있어요. 〈행운의 색깔〉 노랑

● 토대를 만드는 날. 내일을 위한 준비를 하는 데 최적의 날이지만, 자기 중심적이 되지 않도록 하세요. 〈행운의 색깔〉 갈색

● 뭔가 변화가 있는 날. 하지만 너무 극단적인 변화는 안 돼요. 잘못하면 변덕쟁이라고 생각되어질 테니까요. 〈행운의 색깔〉 초록

● 애정에 만족하는 날. 결코 비관적이 되지 말고 당신의 사랑을 전해 보세요. 〈행운의 색깔〉 핑크

● 평온한 하루. 그렇지만 혼자 있으면 어두운 기분이 될 수도 있어요. 〈행운의 색깔〉 파랑

● 활발하게 행동하는 날. 다만 너무 감정적이 되지 않도록 주의하세요. 〈행운의 색깔〉 빨강

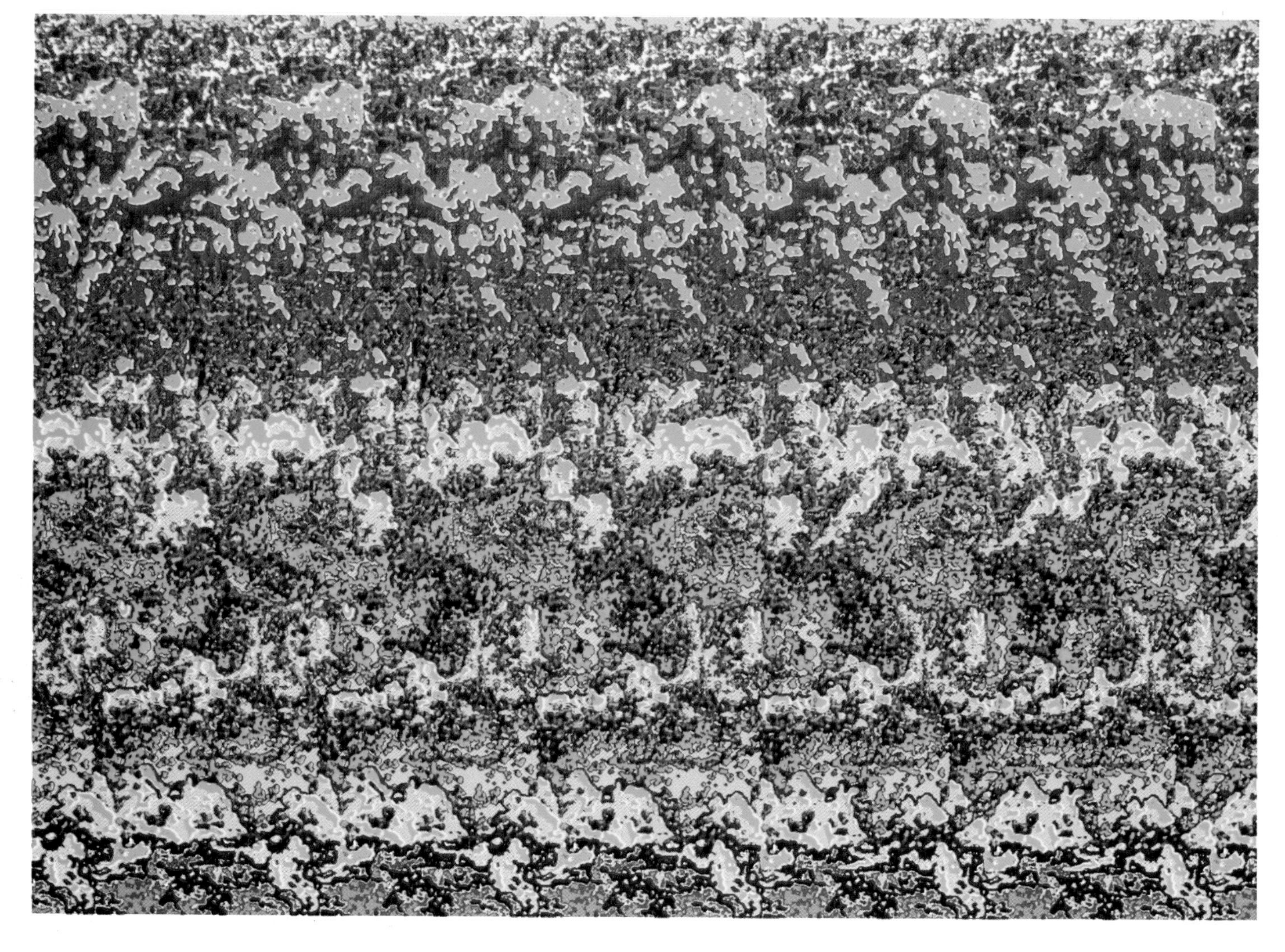

똑같은 입체 영상이 떠올라요. 아주 신비해요.

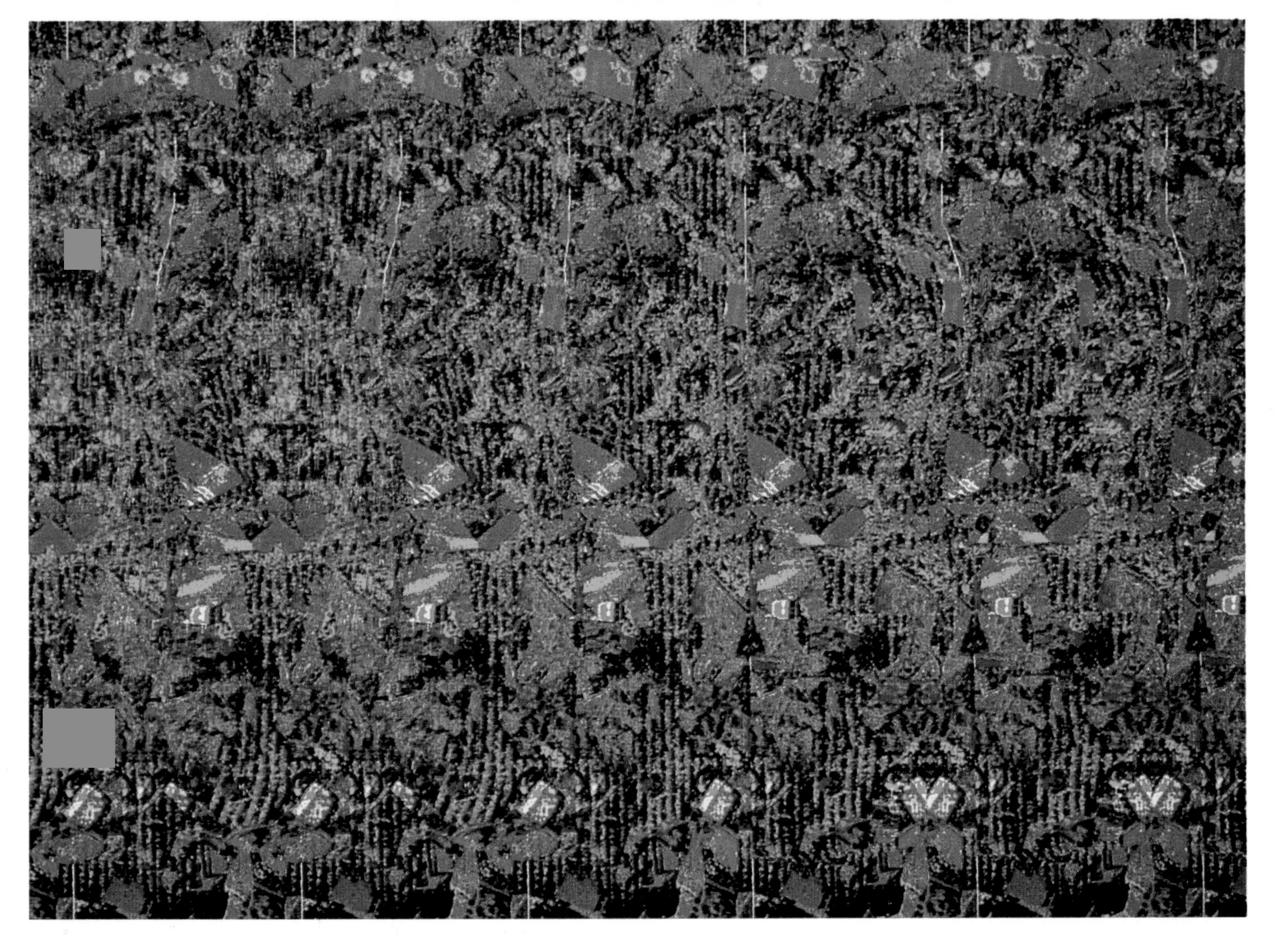

얼굴 표정을 잘 살펴보세요.

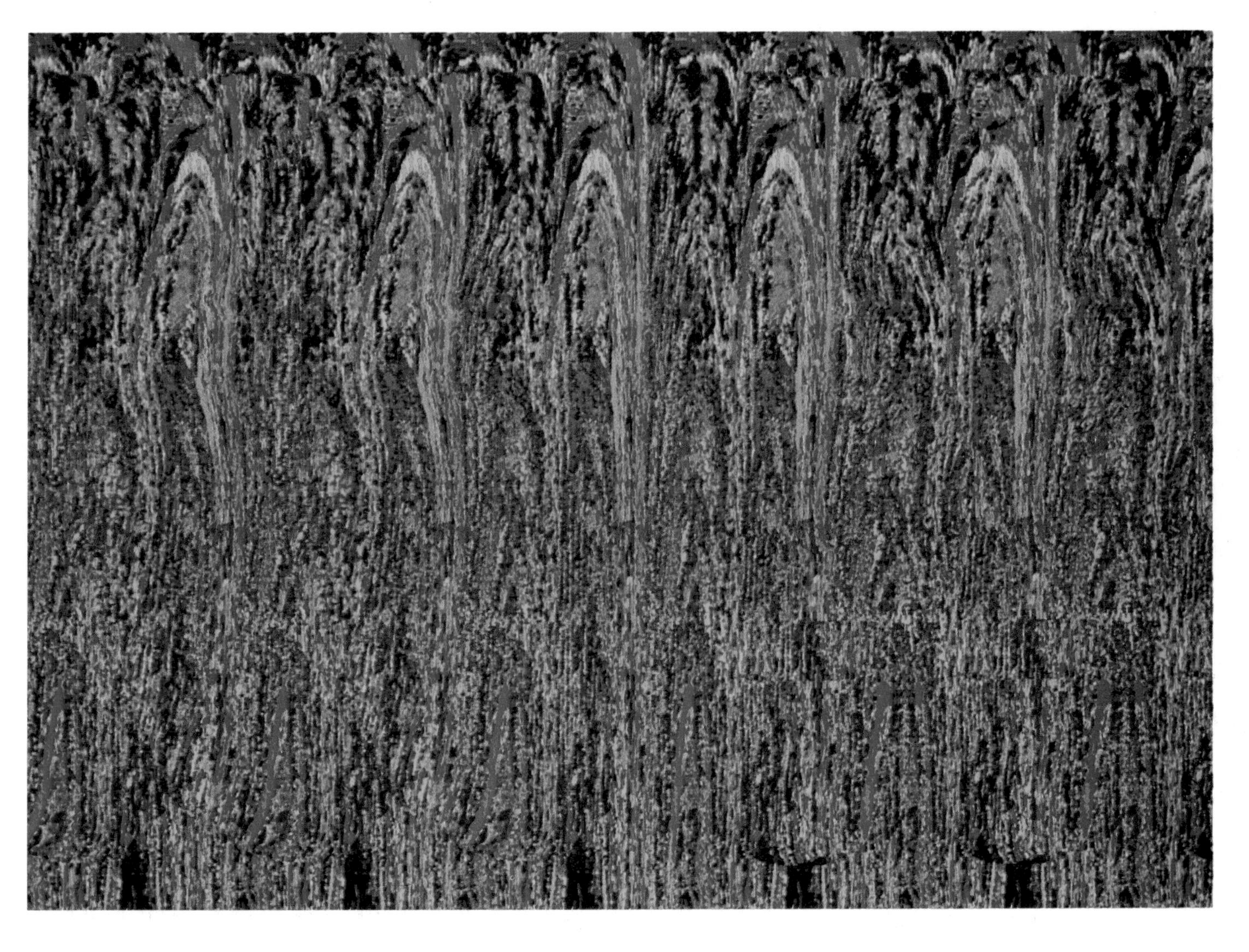

▶ 이 면은 책을 옆으로 해서 보세요.

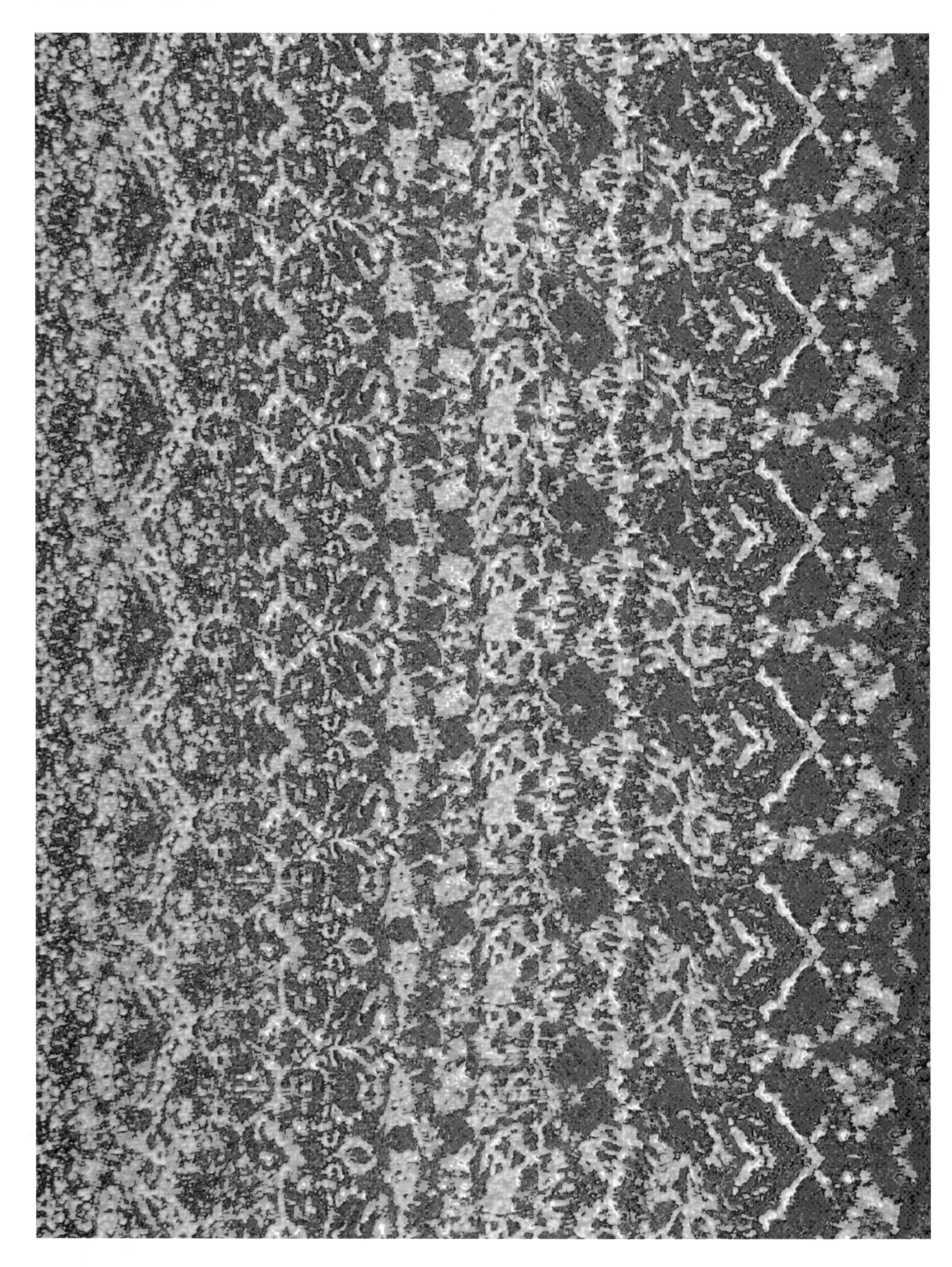

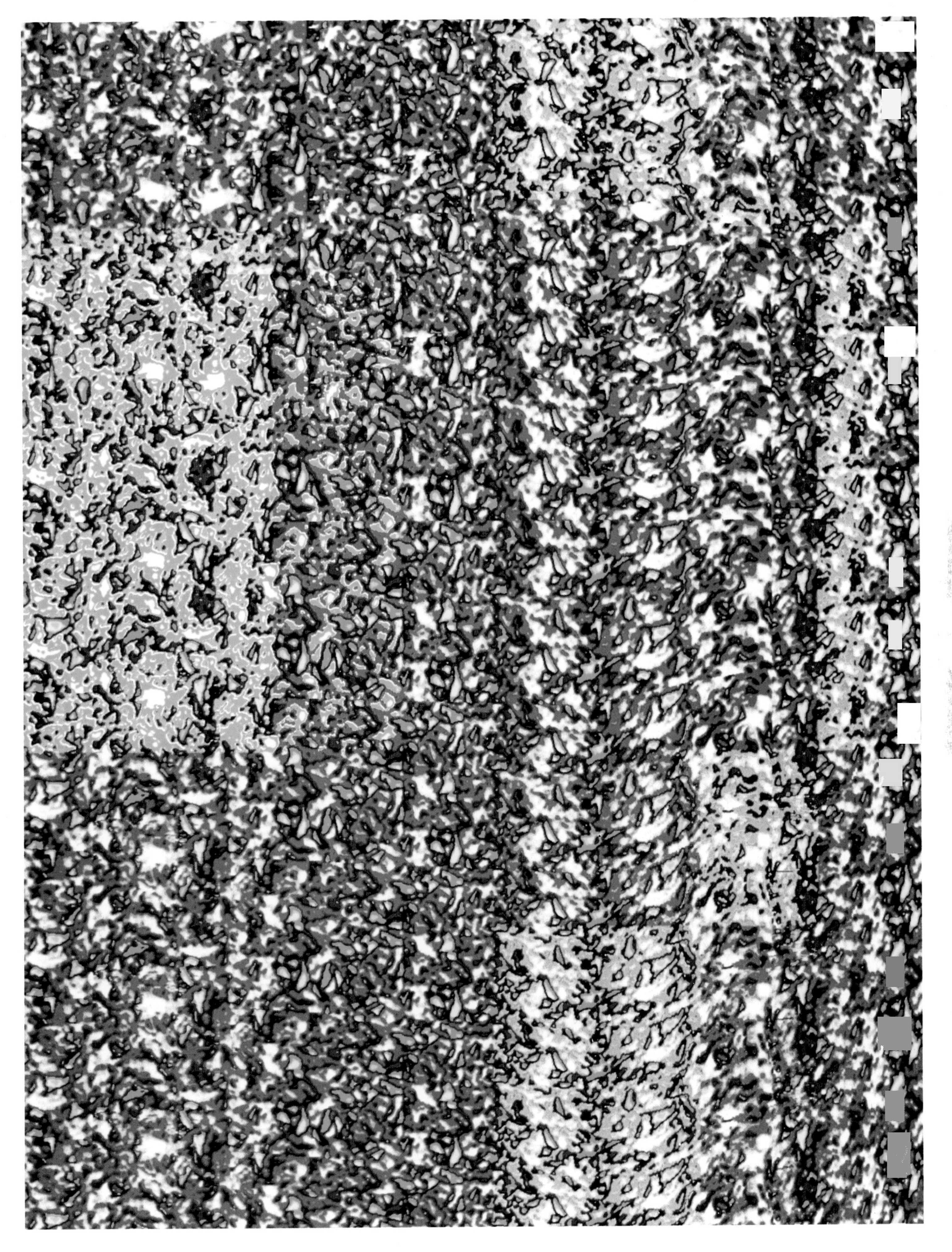

컬러 미로(전체 그림의 한 부분) 매직 아이 1권의 세상에서 가장 어려운 미로에 이어지는 부분으로 오른쪽 아래에 도착지점이 나와 있습니다 ·

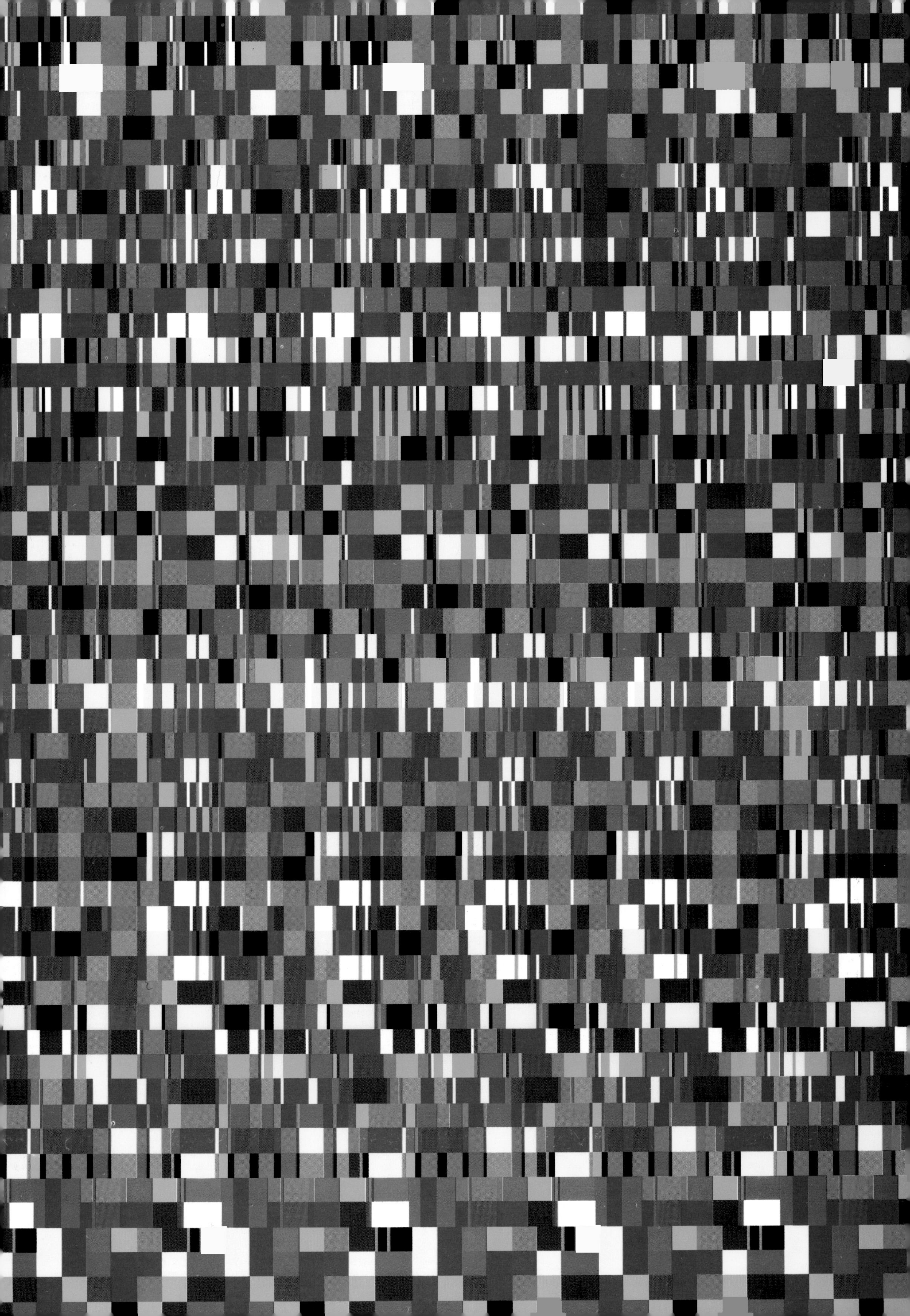

▶ 이 면은 책을 옆으로 해서 보세요.

 고운 꽃들을 모아 만든 꽃 한 송이를 당신에게 드리고 싶어요.

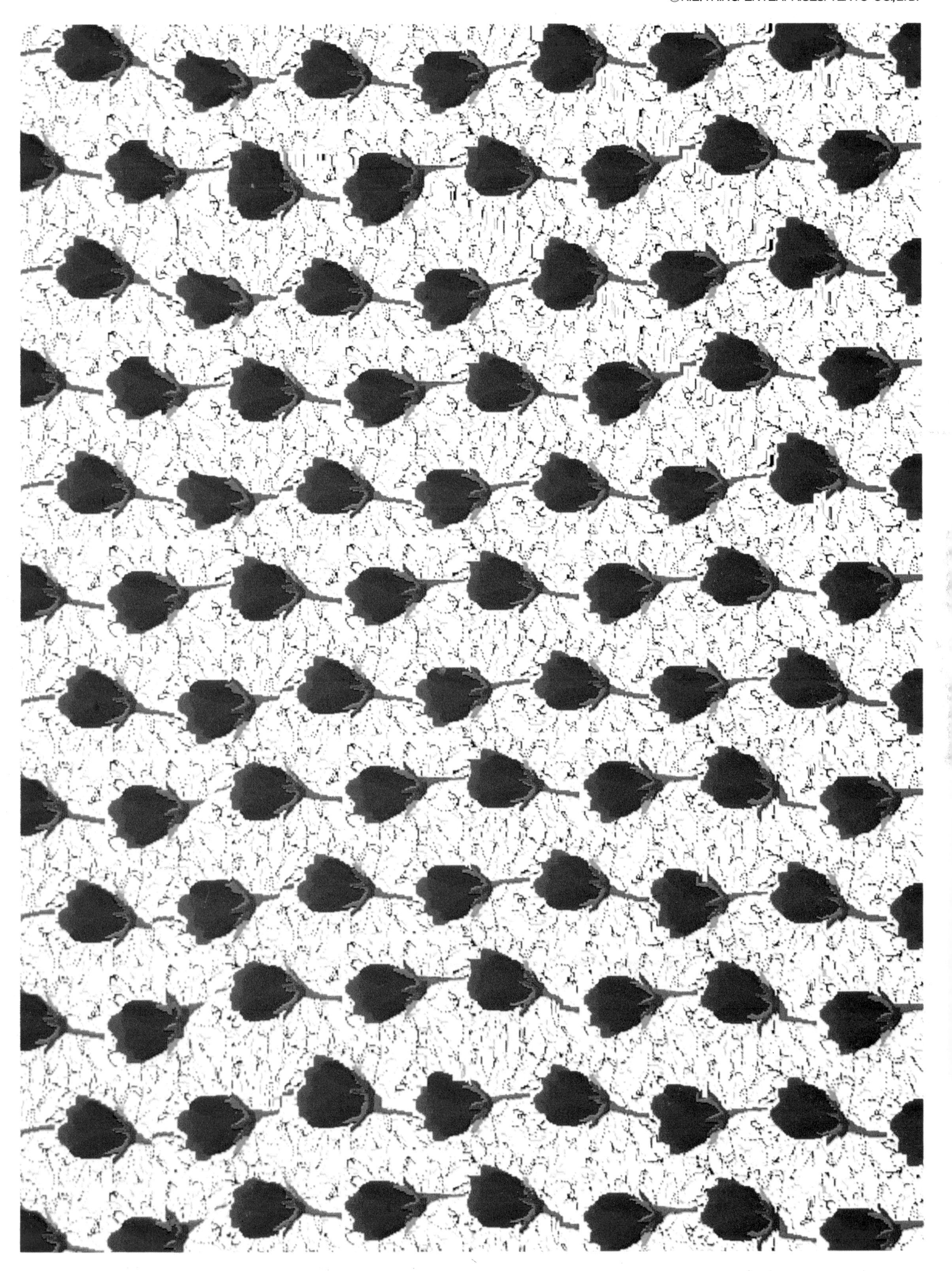

▶ 이 면은 책을 옆으로 해서 보세요.

풀밭에 어리 한 마리가 숨어 있어요.

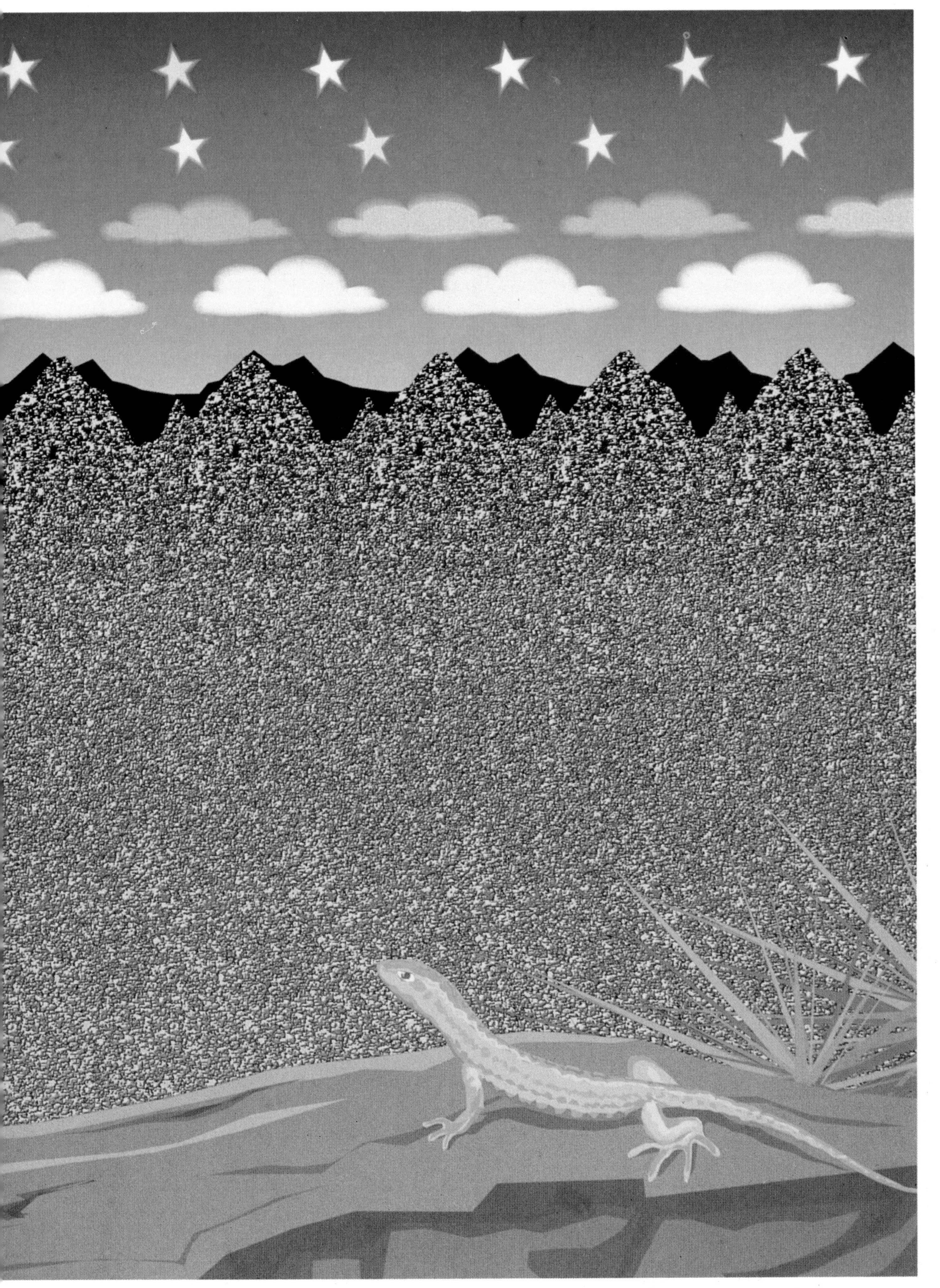

MAGIC EYE Ⅱ

three dimension trip vision

매직 아이● Ⅱ

편저자 3D 아트 연구회편
발행인 고 영 수
발행처 청림출판

〈135-010〉 서울 강남구 논현동63번지
대체구좌 013086-31-2637346
전화 546-4341~2/544-3616
팩시밀리 546-8053
등록 제9-83호(1973. 10. 8)

1993년 6월 15일 4쇄
1993년 6월 20일 발행

*잘못된 책은 바꾸어 드립니다.

ISBN 89-352-0056-5 07660